colección
El zoo de las letras

Juega con la

y

Los dos payasos

Dibujos
Tría 3:
Horacio Elena
Mabel Piérola
Francesc Rovira

Cuento
Beatriz Doumerc

El payaso Yuyo
y el payaso Yayo
sacan un traje de rayas y lunares
del armario.

3

—Yo me pongo la chaqueta —dice Yuyo.
—Y yo me pongo el pantalón —dice Yayo.

Desayunan yogur y un huevo duro.
—Yo me como la clara —dice Yayo.
—Y yo me como la yema —dice Yuyo.

—Hoy voy a pescar al arroyo —dice Yayo.
—Voy contigo —dice Yuyo.
Los payasos sólo tienen una caña,
y la llevan entre los dos,
apoyada sobre los hombros.

Yuyo va distraído, tropieza y cae en un hoyo.
—¡Ay, ay, ay! —grita asustado.
—¡Vamos! Yo te ayudo a salir del hoyo
—le dice Yayo.

¡Qué bien están en el arroyo
bajo los rayos del sol!
¡Y parece que ya ha picado un gran pez!
Pero... ¡qué va! ¡Es sólo un viejo jersey!

Después de un rato, ¡los dos payasos
pescan la jaula de un papagayo!
Y aún hay algo más... ¿Qué será?
Tiran de la caña y, entre los dos...,
¡sacan del arroyo un gran yoyó!

15

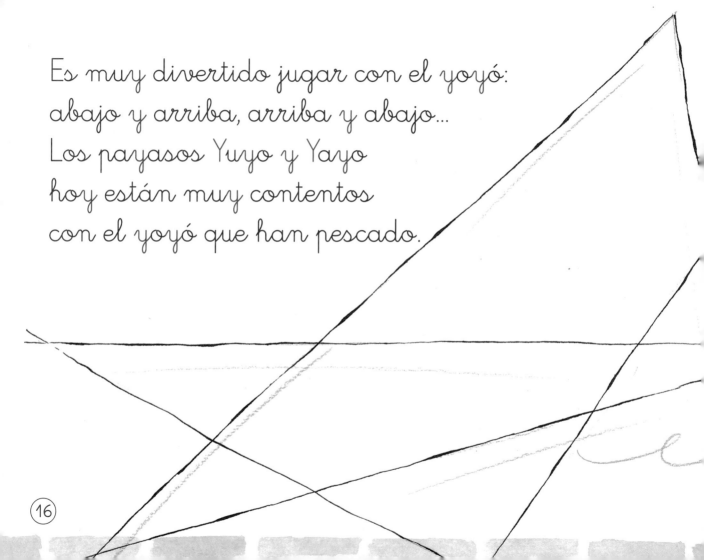

Es muy divertido jugar con el yoyó:
abajo y arriba, arriba y abajo...
Los payasos Yuyo y Yayo
hoy están muy contentos
con el yoyó que han pescado.

◄ ¿Cuántas cañas de pescar tienen los payasos Yayo y Yuyo?

◄ ¿Qué pescan los payasos?

◄ ¿Con qué juegan los payasos al final del cuento?

◄ Explica cómo es un yoyó.

¿Sabes jugar con él?

¿Cómo se juega con él?

Objetivos:

Comprender lo que se lee.
Narrar experiencias de la vida cotidiana.

Une con una flecha el nombre de cada payaso con su foto.

Yayo

Yuyo

Identificar los nombres de los personajes.
Asociar texto e imágenes.

J
U
E
G
A

con la

y

◄ Rodea con un círculo rojo las palabras que tengan una **y** en su nombre:

yegua   yema   payaso

yeso   caballo   yate

◄ Ahora repasa la **y** por las líneas de puntos:

Objetivos:

Ampliar vocabulario.
Reconocer la letra **y**.
Ejercitar la coordinación visomanual.

◄ Une con una flecha las palabras que sean iguales:

yogur   Yema

yoyó   Yo

yema   Yogur

yo   Yoyó

Objetivos:
Ejercitar la atención.
Identificar palabras.

JUEGA

con la

y

◀ Los payasos de este cuento se llaman Yayo y Yuyo.

¿Se te ocurren otros nombres de payaso que también tengan **y**?

Por ejemplo: *Yeyo, Yiyo...*

(Sigue tú.)

Objetivos:

Discriminar el sonido de la **y.**
Combinar sonidos.
Dar respuestas creativas a las propuestas formuladas.

◀ Los payasos suelen trabajar en el circo.

¿Qué otras personas trabajan en el circo?

Por ejemplo: *los trapecistas, los jefes de pista...* (Sigue tú.)

Objetivo:

Ampliar conocimientos.

Colorea las letras **y** minúscula e **Y** mayúscula y luego recórtalas.

Así podrás ir formando tu propio ZOO DE LAS LETRAS con los cuentos de esta colección.

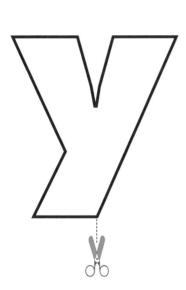

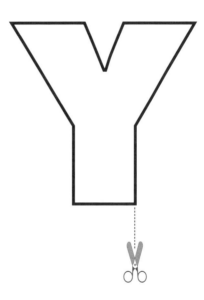

Objetivos:

Reconocer las letras **y, Y.**
Ejercitar la coordinación visomanual.

colección

El zoo de las letras